NATALIA G

# TI HO SPOSATO
# PER ALLEGRIA

## COMMEDIA IN TRE ATTI

## EDIZIONE SEMPLIFICATA AD USO SCOLASTICO E AUTODIDATTICO

Questa edizione, il cui vocabolario è composto con le parole italiane più usate, è stata abbreviata e semplificata per soddisfare le esigenze degli studenti di un livello leggermente avanzato.

Seguendo il metodo del DIZIONARIO GARZANTI DELLA LINGUA ITALIANA indichiamo l'accento (.) sotto le parole non piane e sotto quelle piane di tipo fịglio, vẹcchio, brạccio, Vittọria e allegrịa, fotografịa. Nelle forme verbali finite l'accento è però riportato soltanto all'imperativo in composizione con i pronomi.

### A CURA DI

Solveig Odland  *Danimarca*

### CONSULENTI

Ettore Lolli  *Danimarca*
Frank King  *Inghilterra*

Illustrazioni: Per Illum

© 1974 ASCHEHOUG A/S
ISBN Danimarca 87-429-7652-9

Stampato in Danimarca da
Sangill Bogtryk & offset, Holme Olstrup

## NATALIA GINZBURG,

nata a Palermo 1916, trascorse l'infanzia e la giovinezza a Torino. Sposata a Leone Ginzburg, dirigente del movimento antifascista clandestino, lo seguì da 1940 al 1943 al confino a Pizzoli, un paesino in Abruzzo. In quel periodo scrisse il suo primo libro »La strada che va in città«. Nel 1943 la famiglia Ginzburg è a Roma ove Leone viene arrestato dai tedeschi e muore in carcere l'anno dopo.

Il mondo narrativo della scrittrice è popolato di piccoli personaggi e fatti della vita quotidiana. Il segreto dell'arte della Ginzburg è la semplicità, non espressione di superficialità, ma, al contrario di profonda analisi dell'ambiente descritto e di perfetto dominio dei mezzi espressivi.

La Ginzburg ha scritto racconti, romanzi, saggi e nel 1966 ha provato la via del teatro con »Ti ho sposato per allegria«. Alcune delle sue opere più note sono: »Tutti i nostri ieri« (1952), »Valentino«, racconti, (1957), »Le voci della sera« (1961), »Le piccole virtù«, saggi, (1962). Con »Lessico famigliare« (1963) vince il Premio Strega. Ultimamente ha pubblicato »Caro Michele« (1973).

PERSONAGGI:

Pietro
Giuliana, moglie di Pietro
Vittoria, donna di servizio
Madre di Pietro
Ginestra, sorella di Pietro

cappello

# ATTO PRIMO

PIETRO: Il mio *cappello,* dov'è?

GIULIANA: Hai un cappello?

PIETRO: L'avevo. Adesso non lo trovo più.

GIULIANA: Io non me lo ricordo questo cappello.

PIETRO: Forse non te lo puoi ricordare. Non lo metto da molto tempo. È solo un mese che ci conosciamo.

GIULIANA: Non dire così, »un mese che ci conosciamo«, come se io non fossi tua moglie.

PIETRO: Sei mia moglie da una settimana. In questa settimana non ho mai *messo* il cappello. Lo metto solo quando *piove* forte, e quando vado ai *funerali.* Oggi piove e devo andare a un funerale con mia madre.

GIULIANA: Vai a un funerale? Chi è *morto?*

PIETRO: È morto uno che si chiamava Lamberto Genova. Era un mio amico.

GIULIANA: Lamberto Genova? io lo conoscevo. Lo conoscevo *benissimo.* È morto?

PIETRO: Sì.

GIULIANA: Lamberto Genova. Io lo conoscevo, ti dico: Era molto innamorato di me.

---

*messo,* da mettere.
*piove, funerale,* vedi illustrazione pag. 6.
*morto,* da morire.
*benissimo,* molto bene.

piove

funerale

PIETRO: Vittoria! Guardi se riesce a trovare il mio cappello.

GIULIANA: Lo sai quando l'ho *visto* l'ultima volta?

PIETRO: Ma tu forse non l'hai mai visto!

GIULIANA: Non dicevo del cappello. Dicevo di Lamberto Genova. Lo sai quando è stato che l'ho visto per l'ultima volta?

PIETRO: Quando?

GIULIANA: Pochi giorni prima d'incontrarti. Gennaio, era. Pioveva e io me ne andavo in giro per le strade e avevo una grande voglia di morire.

VITTORIA: (entrando) Ecco il suo cappello. (Via)

---

*visto,* da vedere.

GIULIANA: Allora lo vedo, Lamberto Genova, venire avanti, piccolo, piccolo.

PIETRO: No. Il tuo Lamberto Genova non era quello che conoscevo io.

GIULIANA: Perché, quello che conoscevi tu non era piccolo?

PIETRO: No.

GIULIANA: Il mio invece era piccolo, coi capelli tutti bianchi . . . Allora, quella mattina, ho pensato appena l'ho visto: »speriamo che mi inviti a *pranzo*«. Infatti mi ha portato a pranzo. E intanto che mangiavo pensavo: »Questo qui è molto innamorato di me, e io magari me lo sposo, e sto tranquilla con lui, tanto buono, sarà come un padre per me«. Così pensavo.

PIETRO: Il mio Lamberto Genova aveva moglie e figli.

GIULIANA: Anche il mio aveva moglie e figli. Ma forse era pronto a *divorziare*. Era tanto innamorato di me.

PIETRO: E poi? dopo il pranzo?

GIULIANA: Poi niente. Mi ha accompagnato a casa con la sua macchina. Mi ha *promesso* di trovarmi un lavoro.

PIETRO: Il mio Lamberto Genova era una per-

---

*pranzo,* quello che si mangia all'una.
*divorziare,* non essere più marito e moglie.
*promesso,* da promettere.

sona molto seria, insomma, non era quello che dici tu. Adesso devo andarmene, perché mia madre mi aspetta.

GIULIANA: Che *allegria*, andare a un funerale con tua madre!

PIETRO: Perché di mia madre parli sempre in quel modo?

GIULIANA: No, dicevo solo che allegria, andare a un funerale insieme con quella *allegrona* di tua madre.

PIETRO: Puoi lasciare in pace mia madre, per piacere?

GIULIANA: Non vuoi sapere se mi ha trovato un lavoro Lamberto Genova? Non ci sono andata, perché poi ho incontrato te. Ero pronta a sposare *chiunque*, hai capito, quando ti ho incontrato. Anche Lamberto Genova. Chiunque. Ero pronta a tutto.

PIETRO: Me l'hai *detto*.

GIULIANA: A tutto. Volevo uscire da quella situazione.

PIETRO: Capito.

GIULIANA: Così ti ho sposato. ANCHE per i soldi. Hai capito?

PIETRO: Sì.

GIULIANA: E tu mi hai sposato ANCHE per

---

*allegria*, quello che si prova quando ci si diverte.
*allegrona*, donna sempre piena di allegria.
*chiunque*, qualsiasi persona.
*detto*, da dire.

*pietà*. È vero che mi hai sposato anche per pietà?

PIETRO: Vero. (Esce)

GIULIANA: (gli grida dietro) Perciò il nostro *matrimonio* è una cosa niente *solida*!

VITTORIA: (entrando) Lei non si alza?

GIULIANA: Per adesso no.

VITTORIA: *L'avvocato* torna tardi?

GIULIANA: Non lo so. È andato a un funerale.

VITTORIA: È morto qualcuno?

GIULIANA: È morto uno che si chiamava Lamberto Genova. Lo conoscevo anch'io, ma forse quello che io conoscevo non si chiamava Lamberto, forse si chiamava Alberto, non mi ricordo bene . . . Io non *ho memoria* per i nomi. Hai memoria tu?

VITTORIA: Io sì. Mi sarebbe piaciuto studiare, ma ho dovuto andare a lavorare in campagna. Eravamo nove fratelli.

GIULIANA: Invece a me studiare non è mai piaciuto. Io volevo fare l'*attrice*. Così, a diciassette anni sono andata via di casa.

VITTORIA: E non c'è ritornata mai più?

GIULIANA: Ci ritorno ogni tanto, ma non spesso. Non vado d'accordo con mia madre.

---

*pietà,* quello che si prova per una persona che soffre.
*matrimonio,* col matrimonio si diventa marito e moglie.
*solido,* fermo e sicuro.
*avvocato,* può fare l'avvocato chi ha finito gli studi di legge.
*avere memoria,* ricordare bene.
*attrice,* Sophia Loren per esempio è un'attrice.

VITTORIA: Adesso che si è sposata, sarà contenta sua madre? Non è andata a farle conoscere l'avvocato?

GIULIANA: Ancora no. Le ho mandato dei soldi. Ma sai, ho una gran paura che li abbia messi da parte. Per me. Per il giorno che io ne abbia bisogno.

VITTORIA: Ha ragione sua madre. Io ascolto sempre mia madre. Io per mia madre potrei buttarmi nel fuoco.

GIULIANA: Dov'è casa tua?

VITTORIA: Casa mia è a Fara Sabina. Ma adesso mi lasci fare i lavori. Mi tiene qui a *chiacchierare*, e io poi mi trovo indietro.

GIULIANA: Non puoi stare ancora un poco? Sai, io non avevo mai avuto una donna di servizio. Tu sei la prima che ho.

VITTORIA: Non l'avevano, la donna di servizio, a casa sua da sua madre?

GIULIANA: Ma no! Mia madre vive in Romagna, in un paese che si chiama Pieve di Montesecco. Io sono *nata* lì. È una casa piccola e senza luce.

VITTORIA: Ma allora lei è una quasi come me! lei è una povera!

GIULIANA: Non avevamo niente di niente. Eravamo molto poveri, e mia madre ogni tanto andava

---

*chiacchierare*, parlare.
*nato*, da nascere.

a chiedere un po' di soldi a mio padre che stava con un'altra donna, e aveva, con questa donna, *un mucchio di* bambini. Così di soldi ne aveva pochi anche lui. Io, a diciassette anni sono andata via.

VITTORIA: E allora?

GIULIANA: Sono venuta qui a Roma, dalla mia amica Elena. Volevo diventare un'attrice. I primi tempi mi sentivo felice, perché non stavo più a Pieve di Montesecco, ma stavo invece a Roma, nella stanza che Elena aveva a Campo dei Fiori. Non sapevo come fare a diventare un'attrice, ma pensavo che bastava che io camminassi per la strada perché qualcuno mi fermasse e dicesse: Ma lei è proprio quella che io cerco per il mio film! Così non facevo niente, giravo per le strade e aspettavo, e *consumavo* i miei pochi soldi. Poi ho trovato un lavoro. Mi ha *preso* uno che aveva un *negozio* di *dischi,* uno che si chiamava Paoluccio. Era molto innamorato di me.

VITTORIA: E lei?

GIULIANA: Io no. Nel negozio dei dischi ho conosciuto una persona. Era uno che veniva sempre a sentire i dischi. Aveva una faccia *pallida,* con degli occhi neri, *tristi,* tristi. Non rideva mai. Poi mi

---

*un mucchio di,* molti.
*consumare,* finire a poco a poco.
*preso,* da prendere.
*negozio, dischi,* vedi illustrazione pag. 12.
*pallido,* quasi senza colore.
*triste,* non contento.

negozio

disco

sono innamorata di lui. Si chiamava Manolo. E la Elena mi diceva: No, no, non innamorarti di quello lì! Non mi piace! è così nero, così nero!

VITTORIA: E allora?

GIULIANA: Allora questo Manolo stava sempre nel negozio, ascoltava i dischi e guardava con i suoi occhi neri così tristi, così tristi. E poi una volta mi ha portato a casa sua, in Via Giulia. Stava solo con un gatto.

VITTORIA: Nero?

GIULIANA: Bianco. Un gatto bianco, molto grosso. Non abbiamo mica *fatto* l'amore quella volta. È *rimasto* là col gatto in braccio, a sentire i dischi e a guardarmi con quel suo viso così triste . . . Siamo

---

*fatto,* da fare.
*rimasto,* da rimanere.

andati avanti così per un poco. Io lo andavo a trovare la sera, lo amavo e soffrivo. Ma lui mi diceva che non poteva più amare. Perché pensava sempre a sua moglie, che l'aveva lasciato. Sua moglie si chiamava Topazia.

VITTORIA: E perché l'aveva lasciato?

GIULIANA: Perché era una donna che *si stancava* subito degli uomini, e appena ne aveva uno ne voleva subito un altro. Così lui mi ha detto. E mi ha detto che ogni tanto questa Topazia ritornava da lui, stanca e *disperata,* faceva il *bagno,* e poi di nuovo andava via, in automobile. Cambiava sempre automobile.

stanza da bagno

---

*stancarsi,* diventare stanco.
*disperato,* molto triste.

VITTORIA: Che strane persone!

GIULIANA: Invece lui le automobili non le poteva soffrire. Era molto ricco ma i soldi non gli piacevano. Scriveva. Aveva scritto due libri. L'uno si chiamava: Portami via Gesù.

VITTORIA: Portami via Gesù?

GIULIANA: Ho provato a leggerlo. Ma non ci capivo una parola. L'ho *dato* anche a Elena, e anche lei non ci capiva niente. E sempre mi diceva: No, no, quello lì non mi piace. Non fa nemmeno l'amore, forse non può, forse non è un uomo.

VITTORIA: E poi? Aveva ragione la Elena?

GIULIANA: No. Poi Manolo mi ha detto di andare a stare da lui. La Elena era disperata, ma io non potevo dirgli di no, e allora, finalmente abbiamo fatto l'amore. E la mattina mi diceva di non alzarmi, che era inutile alzarsi. Così non sono più andata al negozio, e ho *perso* il posto.

VITTORIA: E lui diceva che adesso l'amava?

GIULIANA: No. Mi parlava sempre di sua moglie Topazia. Com'era bella, e come aveva *stile*. Io, invece, non avevo nessuno stile. E io mi sentivo *infelice*. Avevo perduto tutti i miei amici. La Elena non la vedevo quasi mai, e Paoluccio, quello del negozio dei dischi, anche lui non lo vedevo più.

---

*dato*, da dare.
*perso*, da perdere.
*stile*, particolare modo di essere.
*infelice*, non felice.

Stavo tutto il giorno a letto a pensare . . . Ero diventata un'altra persona. Qualche volta pensavo: »Chissà se mi sposerà?« Ma figurati se era il caso di chiederglielo. Non se ne parlava neanche. Non mi amava, ti dico. Mi trovava senza stile. Non gli andava bene niente delle cose che dicevo.

VITTORIA: Ma perché rimaneva con lui, se la trattava così?

GIULIANA: Perché non potevo andar via, non mi potevo muovere. E poi non è che mi trattasse male, qualche volta era buono con me, solo non aveva nessun interesse per me, nessuno . . . Erano più di tre mesi che stavo con lui, e mi sono *accorta* che aspettavo un bambino.

VITTORIA: Oh! E allora?

GIULIANA: E allora gliel'ho detto, e lui ha detto che mi sbagliavo, che non era possibile, e anch'io mi son messa a pensare che mi ero sbagliata. E una mattina, *mi sveglio,* e lui non c'è più. Trovo una lettera. Diceva che se ne andava per un poco. Diceva di non aspettarlo, perché non sapeva quando tornava.

VITTORIA: E lei? allora lei come ha fatto?

GIULIANA: Mi aveva lasciato un po' di soldi. Mica tanti. Trentamila lire.

VITTORIA: Poco.

---

*accorto,* da accorgere.
*svegliarsi,* non dormire più.

GIULIANA: Sì. Io ho cominciato a piangere, e ho pianto non so quanto tempo, senza mangiare e senza dormire. Non avevo nessuno con cui piangere, dovevo piangere sola. Non avevo nessun altro che il gatto. Infatti, Manolo non aveva portato via il gatto.

VITTORIA: E allora?

GIULIANA: Allora niente. A un bel momento sono uscita a comprare un po' da mangiare per il gatto e per me. Son passati degli altri giorni e io camminavo molto, giravo le strade sotto il sole, perché speravo che se mi stancavo, perdevo il bambino. Ma i giorni passavano e il bambino l'avevo sempre. Un giorno sento aprirsi la porta, e mi vedo davanti una ragazza *sporca,* con dei *calzoncini* bianchi, tutti sporchi. Mi guarda e io la guardo e le chiedo:

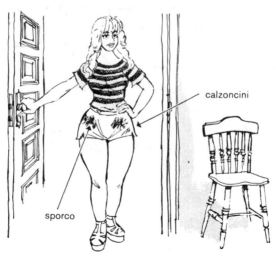

calzoncini

sporco

Scusi chi è lei? E la ragazza dice: Non c'è il signor Manolo Pierfederici? E io dico: No, perché? Lei chi è? e la ragazza dice: Io sono sua moglie. E io dico: Topazia!

VITTORIA: Era Topazia!

GIULIANA: Sì. Se tu sapessi quanto ci avevo pensato, a questa Topazia, quanto avevo cercato di immaginarmela! Invece era così, una ragazza sporca, con delle gambe grosse e gli occhi *celesti*. Mi ha detto: Posso fare il bagno?

VITTORIA: E allora?

GIULIANA: E allora ha fatto il bagno, e dopo si è seduta vicino a me e le ho raccontato tutto. A un'altra, a quella Topazia che mi ero immaginata, non avrei raccontato niente. Ma a questa qui avevo voglia di raccontare tutto, come faccio adesso con te. E le ho detto: Ma lei perché l'ha *piantato?* E lei ha detto: Io l'ho piantato? È lui che ha piantato me. Hai capito? Parlava così. Non aveva nessuno stile.

VITTORIA: Non aveva stile?

GIULIANA: Per niente. E mi ha detto: M'ha piantato, poco dopo che eravamo sposati. Diceva che non mi poteva amare. *Mi sono disperata,* ma poi mi son trovata un lavoro. Faccio la *fotografa.* Giro

---

*celeste,* color del cielo.
*piantare qlcu.,* lasciare qlcu.
*disperarsi,* diventare molto triste.
*fotografo,* chi fa fotografie per guadagnare soldi.

in automobile, e faccio delle fotografie per un *settimanale*. Qualche volta càpito qui. Siamo rimasti amici. Così ha detto Topazia, e io mi sentivo libera e contenta: in tutti quei mesi avevo pensato che lui non mi amava perché ero *stupida,* perché non avevo stile. L'ho detto a Topazia, e lei si è messa a ridere, e mi ha detto: Anche a te diceva che non avevi stile? me lo diceva sempre a me. Allora come ho *riso*! come abbiamo riso tutte e due!

VITTORIA: E poi?

GIULIANA: Poi abbiamo mangiato, e siamo andate a dormire. E prima di dormire Topazia mi ha detto: Domani pensiamo, col bambino, cosa puoi fare. Se vuoi tenerlo, ti aiuterò io, perché io non posso avere bambini. E io prima di dormire pensavo: »Sì, sì, lo tengo questo bambino! Lavorerò! Farò anch'io la fotografa!« Ma al mattino, quando mi sveglio, mi metto a piangere e dico: No, Topazia, no! io non mi sento di averlo questo bambino! Non ho casa, non ho lavoro, non ho soldi, non ho niente! e lei ha detto: Bene. E mi ha portato da un suo amico dottore e questo qui mi ha fatto *abortire*.

VITTORIA: E poi?

---

*settimanale,* giornale che esce una volta alla settimana.
*stupido,* che capisce poco.
*riso,* da ridere.
*abortire,* perdere il bambino prima che nasca.

GIULIANA: Poi sono stata qualche giorno a letto. Quando sono stata bene, andavo in giro con Topazia per la città. Faceva un mucchio di cose. Con lei come mi divertivo! Non avevo mai avuto un'amica, a parte la Elena. I momenti che stavo sola, pensavo qualcosa, e intanto mi dicevo: »Questa cosa che adesso ho pensato, bisogna che me la ricordo, perché tra poco viene Topazia e gliela racconto«. Io con Topazia stavo bene e mi sembrava tutto facile, con lei. E invece poi è tornata la Elena, e le ho raccontato tutto, e si è messa a piangere. Piange molto la Elena. Diceva: Lo sapevo! Lo sapevo che andava a finire così! E come farai con un bambino? E io dicevo: Ma se ho abortito! Lei diceva: Sì, hai abortito, va bene, ma un'altra volta che ti succede, come farai?

VITTORIA: E poi?

GIULIANA: Poi Topazia è partita. Doveva andare, per il suo lavoro, in America. Così io sono tornata a stare dalla Elena. Mi diceva che forse facevo bene a tornare a Pieve di Montesecco. Non avevo lavoro e giravo le strade e aspettavo che mi succedesse qualcosa.

VITTORIA: E allora?

GIULIANA: Allora poi un giorno ho incontrato un amico di Topazia, un fotografo, e mi ha portato a una festa. C'era un mucchio di gente e io non conoscevo nessuno. Però, dopo che ho bevuto un po' di vino, non mi sono più sentita sola. E lì, a quella festa, ho incontrato Pietro. Alla fine ero *ubriaca*, non trovavo più il fotografo, e *ballavo* sola con le *scarpe* in mano. Mi girava la testa, e sono

scarpa

---

*ubriaco*, che ha bevuto troppo vino.
*ballare*, muovere il corpo e i piedi secondo la musica.

caduta proprio vicino a Pietro. Non ho capito più niente, era il vino. E mi sono ritrovata in un letto. Pietro mi teneva la testa, e mi faceva bere del caffè. E poi mi ha accompagnato a casa. Lui è salito su con me.

VITTORIA: Su dalla Elena?

GIULIANA: Sì, ma la Elena in quei giorni non c'era, perché era dalla famiglia. Pietro è rimasto là. Gli ho raccontato tutto. Poi al mattino è andato. E io pensavo: non tornerà più. Invece dopo qualche ora è tornato con un mucchio di cose da mangiare. E abbiamo abitato insieme per dieci giorni, fino a quando è tornata la Elena. E in quei dieci giorni, io ogni tanto gli chiedevo: Trovi che ho stile? E lui diceva: No. Anche lui trovava che non avevo stile. Però, con lui, non me ne importava. Gli dicevo tutto quello che mi veniva in mente. E poi, quando stava per tornare la Elena, io gli ho detto: Sposami. Perché se non mi sposi tu, chi mi sposa?

VITTORIA: E lui?

GIULIANA: E lui ha detto: È vero. E m'ha sposata.

VITTORIA: Ma sa che lei ha avuto proprio una bella fortuna!

GIULIANA: Ancora non lo so se è stata una fortuna.

VITTORIA: Non è stata una fortuna? Sposarsi con un avvocato bello, giovane, con tanti soldi, lei povera?

GIULIANA: Già. Lavoro non ne avevo. E poi io

non ho tutta questa voglia di lavorare. Gli ho detto, a Pietro: Sì, ti sposo, però ho paura che non ti amo! con te non è come con Manolo! Quando è tornata a casa la Elena, le ho detto: Sai, ho trovato uno che mi sposa. E lei: Uno che ti sposa? Non voleva crederlo, che c'era uno che mi sposava.

VITTORIA: Dio, ma è tardi, devo mettermi a *cucinare*. Tra poco torna l'avvocato, e il pranzo non è pronto.

(Entra Pietro.)

PIETRO: Com'è che ancora non ha *rifatto* la stanza, Vittoria?

GIULIANA: Come faceva a rifare la stanza, non vedi che io sono a letto?

PIETRO: E non pensi di doverti alzare?

GIULIANA: Ho chiacchierato un po' con Vittoria. Le ho raccontato la mia vita. Stava a sentire, attenta attenta. Tu, invece, quando parlo, non mi ascolti. *Stamattina* sei uscito mentre stavo parlando. Eppure ti dicevo una cosa importante.

PIETRO: Ah sì? Cosa mi dicevi?

GIULIANA: Ti dicevo che non vedo, fra noi, una ragione seria di vivere insieme.

PIETRO: Mi dicevi questo?

GIULIANA: Sì.

---

*cucinare,* far da mangiare.
*rifare,* mettere in ordine.
*stamattina,* questa mattina.

PIETRO: Non abbiamo nessuna ragione seria di vivere insieme? Lo pensi?

GIULIANA: Lo penso. Trovo che sei una persona molto *leggera*.

PIETRO: Io non sono niente leggero. Io sono uno che sa sempre quello che fa.

GIULIANA: Hai un'alta *opinione* di te stesso!

PIETRO: Forse.

GIULIANA: Io invece non so mai quello che faccio. Del resto come fai a dire, che tu sai sempre quello che fai? Fin adesso non hai fatto niente. Niente d'importante, voglio dire. Sposarti è stata la prima cosa importante della tua vita.

PIETRO: Prima di incontrare te, sono stato sul punto di sposarmi almeno diciotto volte. Mi sono sempre tirato indietro. Perché scoprivo in quelle donne qualcosa che mi faceva paura. Scoprivo in loro un *pungiglione*. Erano delle *vespe*. Quando ho trovato te, che non sei una vespa, ti ho sposato.

GIULIANA: Non mi fa piacere sentire che non ho i pungiglioni. È vero, ma non mi piace.

vespa          pungiglione

---

*leggero*, qui: poco serio.
*opinione*, quello che si pensa di qualcuno o di qualcosa.

PIETRO: Se la verità non ti piace, vuol dire che sei ancora bambina. Bisogna accettare se stessi. Ma adesso devi alzarti e venire a mangiare.

GIULIANA: Sei molto sicuro di te e molto *antipạtico*. Parli di me che mi sembra che tu mi *conosca come il fondo delle tue tasche*.

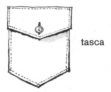

tasca

PIETRO: Infatti io ti conosco come il fondo delle mie tasche.

GIULIANA: Ci siamo incontrati che non è neanche un mese e mi conosci come il fondo delle tue tasche? Ma non sappiamo nemmeno perché ci siamo sposati! Non facciamo che domandarci perché, dalla mattina alla sera!

PIETRO: Tu. Io no. Io non mi domando niente. Tu sei una persona con le idee poco chiare. Io no. Io vedo chiaro. Vedo chiaro e lontano.

GIULIANA: Ma guarda che alta opinione che hai di te! »Vedo chiaro e lontano!« Io ti dico che non è vero, non vediamo chiaro niente!

PIETRO: Allora, lo fai il bagno?

GIULIANA: Eh?

---

*antipạtico,* che non piace.
*conọscere come il fondo delle sue tasche,* conọscere molto bene.

PIETRO: Ti fa bene, *schiarisce* le idee.

GIULIANA: Non credo che farò il bagno. Sono troppo triste. Ho paura che tu sia troppo antipatico! (Va nel bagno. Tornando) Io trovo che il matrimonio è una cosa *orrenda*. Dover vivere insieme sempre, tutta la vita! Ma perché ti ho sposato? Ma cosa ho fatto? Dove avevo la testa quando ti ho preso?

PIETRO: Hai *deciso* di fare il bagno?

GIULIANA: Non hai detto che devo fare il bagno?

PIETRO: Non era mica un ordine.

GIULIANA: Lo credo bene. Vuoi anche cominciare a darmi degli ordini!

PIETRO: Allora mi trovi antipatico?

GIULIANA: Sì. Ho paura di sì. Sei così tranquillo, così sicuro di te! »Ti conosco come il fondo delle mie tasche!« »Vedo chiaro e lontano!« E se non mi conoscessi un bel niente? Se scopri in me un pungiglione? Se sono una vespa? allora? allora cosa faresti?

PIETRO: Ti pianterei. Si capisce.

GIULIANA: Non si capisce per nulla. Adesso mi hai sposato e mi tieni, mi tieni come sono! anche se sono tutta diversa da quello che credevi, devi tenermi lo stesso. Non ti dicevo che il matrimonio

---

*schiarire,* rendere chiaro.
*orrendo,* che fa paura.
*deciso,* da decidere.

è una cosa orrenda?

VITTORIA: (entrando) Non s'è ancora vestita? Io ho portato il pranzo in tavola!

PIETRO: Vieni a mangiare. Il bagno lo farai dopo.

GIULIANA: Già! se faccio il bagno dopo mangiato, muoio. Mi vuoi morta? (Va nel bagno.)


## Domande

1. Da quanto sono sposati Pietro e Giuliana?

2. Perché Giuliana voleva sposarsi?

3. Perché Giuliana è andata via di casa?

4. Cambia in meglio la vita di Giuliana a Roma?

5. Quali persone Giuliana incontra a Roma?

6. Che tipo è Manolo? E come tratta le donne?

7. Che cosa racconta Manolo di Topazia?

8. Perché a Giuliana piace stare insieme a Topazia?

9. In che modo Giuliana incontra Pietro?

10. Che cosa pensano Giuliana e Pietro l'uno dell'altro? In che modo sono diversi?

11. Che opinione ha Giuliana del matrimonio?

# ATTO SECONDO

PIETRO: Ho invitato a pranzo mia madre e mia sorella per domani.

GIULIANA: Ma tua madre non aveva detto che non avrebbe mai messo piede in questa casa?

PIETRO: L'aveva detto. Io però l'ho *convinta* a venire, domani, a pranzo. Dopo il funerale di Lamberto Genova, l'ho accompagnata a casa, e l'ho convinta. S'è lasciata convincere.

GIULIANA: Sei *mammone,* tu?

PIETRO: Non sono mammone, ma non voglio essere in guerra con mia madre. Preferisco essere in pace, se la cosa è possibile. Non andiamo a casa di mia madre, perché lì c'è la *zia* Filippa. La zia Filippa non ha voluto nemmeno guardare la tua fotografia. Mia madre sì, un momento, l'ha guardata.

GIULIANA: E cos'ha detto, della mia fotografia, tua madre?

PIETRO: Niente. Mia madre non ti piacerà. E tu non piacerai a lei. Niente le piacerà di questa casa. Nemmeno Vittoria.

GIULIANA: Perché non le deve piacere nemmeno Vittoria?

---

*convinto,* da convincere.
*mammone,* chi è troppo attaccato alla madre.
*zia,* sorella della madre o del padre.

PIETRO: Ha delle donne di servizio di un altro tipo.

GIULIANA: E allora se io non piacerò a lei, e se lei non piacerà a me, e se in questa casa niente le piacerà, perché la fai venire qui?

PIETRO: Perché è mia madre.

GIULIANA: Bella ragione. Io non ti porto mica qui mia madre, io. Sai come è mia madre? Mia madre tiene tutti i vecchi giornali sotto il letto, ne ha un mucchio, e le pagine e le fotografie che le piacciono le attacca sulle *pareti* e al capo del letto. Hai capito?

PIETRO: Sì. Va bene. Questa è tua madre. Mia madre è una donna abbastanza normale.

GIULIANA: Perché, vuoi dire che mia madre non è una donna normale? vuoi dire che è *matta?*

PIETRO: Non lo so. Da come ne parli tu, penso che un po' matta dev'essere. Io non l'ho mai vista.

GIULIANA: E ti sembra bello di non avere ancora visto mia madre?

PIETRO: Vuoi che andiamo a trovare tua madre?

GIULIANA: A vedere mia madre? a vedere i giornali sotto il letto?

PIETRO: Sì, perché no?

GIULIANA: Non è mica matta mia madre. È solo una povera donna.

---

*parete,* muro dentro la casa.
*matto,* che ha perso la ragione.

PIETRO: Ecco. E anche mia madre, vedi, è una povera vecchia donna.

GIULIANA: Perché, cosa le è *successo,* a tua madre?

PIETRO: Mia madre, da giovane, era bella e ha *sofferto* molto quando ha cominciato a *invecchiare.* Poi ha perduto un po' di soldi, non molti. E tante volte la mattina si sveglia e piange, perché ha paura di essere povera. Poi qualche anno fa è morto mio padre, e lei ne ha sofferto molto. Mia sorella non si è ancora sposata, e anche di questo lei piange. E adesso io mi sono sposato con te.

GIULIANA: Tua madre è invecchiata come invecchiamo tutti. Tuo padre è morto quando era già vecchio. Questo succede a tutti . . . Tua madre pensa che ti ho sposato per i soldi?

PIETRO: Sì, lo pensa. Pensa tutto, e la mattina si sveglia, e piange. Perciò le ho detto di venire qui a pranzo, così almeno ti vedrà in faccia.

GIULIANA: Certe cose che pensa tua madre sono vere. È vero che ti ho sposato ANCHE per i soldi.

PIETRO: Vorresti dire che non mi avresti sposato, se fossi stato povero?

GIULIANA: Non lo so! Non ho avuto il tempo di capirlo! Perché ci siamo sposati così presto?

PIETRO: Mi hai detto: Sposami! Se no, se non

---

*successo,* da succedere.
*sofferto,* da soffrire.
*invecchiare,* diventare vecchio.

mi sposi tu, chi mi sposa? se no finisce che mi butto dalla finestra. Non hai detto così?

GIULIANA: Sì, ho detto così. Ma era un modo di dire. Non era mica necessario sposarmi così presto. Forse abbiamo sbagliato a sposarci così presto, forse insieme saremo molto infelici!

PIETRO: È possibile.

GIULIANA: E allora? allora come faremo?

PIETRO: Divorzieremo.

GIULIANA: *All'estero?*

PIETRO: All'estero.

GIULIANA: Meno male che hai un po' di soldi, così almeno potremo andare all'estero a divorziare!

PIETRO: Meno male.

GIULIANA: Allora cosa devo fare da pranzo a tua madre?

PIETRO: Non so. *Pollo.* Mia madre sta poco bene.

GIULIANA: È molto vecchia, tua madre?

PIETRO: Vecchia, sì.

GIULIANA: Quanti anni ha?

PIETRO: Non si sa. Non lo sa nessuno.

GIULIANA: Quando saremo divorziati, cosa farai? tornerai a stare con tua madre, con tua sorella, e con la zia Filippa?

PIETRO: Forse.

GIULIANA: Io invece *viaggerò* con Topazia. Sai,

---

*all'estero,* in un altro Stato.
*viaggiare,* andare in viaggio.

tante volte mi chiedo cosa penserebbe Topazia di te. Ma non credo che le piaceresti. Direbbe che non hai stile. Topazia è molto difficile.

PIETRO: Però si è sposata con quello stupido.

GIULIANA: Manolo? perché dici così, »quello stupido«? Tu non lo conosci, Manolo!

PIETRO: Io penso che quel tuo Manolo era uno stupido, e un *vigliacco*. Non è andato via, quando ha saputo che aspettavi un figlio?

GIULIANA: Sì. Ma era un'altra cosa. Lui aveva paura della vita. Allora, per tua madre, pollo?

PIETRO: Pollo.

GIULIANA: Vittoria! Non risponde, forse chiacchiera con la ragazza del piano di sopra.

PIETRO: Cosa le vuoi dire?

GIULIANA: Che domani viene a pranzo tua madre.

PIETRO: E mia sorella.

GIULIANA: E tua sorella. Questa tua sorella com'è?

PIETRO: Mia sorella è un'*oca*.

GIULIANA: Le piacerò?

PIETRO: Le piacerai moltissimo.

---

*vigliacco*, chi manca di coraggio.
*oca*, si dice di ragazza molto stupida.

GIULIANA: Perché è un'oca? Mi trovi fatta per piacere alle oche?

PIETRO: Non perché è un'oca. Perché è sempre contenta di tutto. È molto *ottimista*.

GIULIANA: Io sto bene con gli ottimisti.

PIETRO: E con me stai bene?

GIULIANA: Ancora non lo so. Ancora non ho capito bene come sei.

PIETRO: Io invece ti ho capita subito, appena ti ho vista.

GIULIANA: A quella festa? quando ballavo, ubriaca, senza le scarpe? Hai capito che ero una che ti andava benissimo a te?

PIETRO: Sì.

GIULIANA: Che bello.

PIETRO: E vuoi sapere una cosa?

GIULIANA: Cosa?

PIETRO: Non mi hai mai fatto nessuna pietà.

GIULIANA: Ma come? quella notte, quando piangevo, quando ti raccontavo, non ti facevo pietà?

PIETRO: No.

GIULIANA: Ma come, ero sola, senza soldi, senza lavoro, avevo anche abortito, e non ti facevo pietà?

PIETRO: No.

GIULIANA: Ma allora sei senza cuore!

PIETRO: Non essere stupida. Lo sai che io non

---

*ottimista,* chi vede soprattutto quello che è buono negli uomini e nelle cose.

ho mai sentito, guardandoti, nessuna pietà. Ho sempre sentito, guardandoti, una grande allegria. E non ti ho sposato perché mi facevi pietà. Ti ho sposato per allegria. Non lo sai, che ti ho sposato per allegria? Ma sì, lo sai benissimo.

GIULIANA: Mi hai sposato perché ti divertivi con me? E io? io perché ti ho sposato?

PIETRO: Per i soldi?

GIULIANA: ANCHE per i soldi.

PIETRO: Credo che uno si sposa sempre per una ragione sola. Gli ANCHE non valgono. C'è una ragione sola, ed è quella che importa. Non mi hai detto: Sposami, se no chi mi sposa?

GIULIANA: Sì, e allora?

PIETRO: Be', non era questa la ragione? che volevi avere un marito? Qualsiasi marito?

GIULIANA: Sì.

VITTORIA: (entrando) Mi ha chiamato?

GIULIANA: Non adesso. Prima. Volevo dirti che domani vengono a pranzo sua madre e sua sorella. Farai pollo.

VITTORIA: E c'è bisogno di dirmelo oggi?

GIULIANA: Sì, perché oggi che vai dal *parrucchiere,* lo compri.

VITTORIA: È vero, li vado sempre a comprare in Piazza Bologna, vicino al mio parrucchiere. Esco subito. (Via)

---

*parrucchiere,* chi fa i capelli alle donne.

PIETRO: Sembrerebbe una buona ragazza. Hai preso *informazioni*, prima di prenderla?

GIULIANA: Sì. Ho telefonato alla signora Giacchetta.

PIETRO: Chi è questa signora Giacchetta?

GIULIANA: È la signora Giacchetta. Quella dov'era prima. A Vittoria piaceva molto. Era molto brava in casa. Faceva tutto da sé. A lei, a Vittoria, non le lasciava nemmeno mettere le mani in acqua. Non capisco perché teneva la donna.

PIETRO: Sei sicura che esiste, questa signora Giacchetta?

GIULIANA: Se mi ha *risposto* quando le ho telefonato!

PIETRO: Non si prendono informazioni così, si va sul luogo.

GIULIANA: Di che cosa potremo parlare, domani, con tua madre? Dopo che avremo parlato un po' di Vittoria, di che cosa potremo parlare?

PIETRO: Ah, davvero non lo so!

GIULIANA: Possiamo parlare del Lamberto Genova?

PIETRO: Quale, del tuo o del mio?

GIULIANA: Un po' dell'uno, un po' dell'altro, no?

PIETRO: Devo uscire. Dov'è il mio cappello?

GIULIANA: Hai un altro funerale?

---

*informazione,* notizia.
*risposto,* da rispondere.

PIETRO: No. Piove. Quando piove, metto il cappello.

GIULIANA: Oh Dio, piove, e adesso Vittoria è dal parrucchiere ...

# Domande

1. Perché Giuliana non piacerà alla madre di Pietro?

2. In che modo sono diverse le due madri?

3. Per quali ragioni ha sofferto la madre di Pietro?

4. In che modo Pietro è diverso da Manolo?

5. Perché Pietro si è sposato con Giuliana?

6. In quali casi Pietro porta il cappello?

3*

## ATTO TERZO

GIULIANA: Pietro!

PIETRO: Eccomi.

GIULIANA: Vittoria non è tornata!

PIETRO: Come non è tornata?

GIULIANA: Non è tornata, da ieri, dopo il parrucchiere. Tu stavi fuori a mangiare ieri sera, io me ne sono andata a dormire presto. Stamattina, dopo che sei uscito tu, la chiamo, la cerco in tutta la casa, e non c'è.

PIETRO: Dobbiamo telefonare alla polizia?

GIULIANA: No. La ragazza del piano di sopra dice che forse è andata di nuovo dalla signora Giacchetta. Le piaceva così tanto stare dalla signora Giacchetta. Non aveva quasi niente da fare. Qui anche le piaceva, ma trovava che c'era troppo lavoro.

PIETRO: Che lavoro c'è, qui? Siamo due persone sole, la casa è piccola? Come hai fatto per cucinare? Tra poco, saranno qui mia sorella e mia madre.

GIULIANA: Mi sono alzata tardi, stamattina, e poi speravo sempre che tornasse Vittoria. (Via)

(Pietro solo. Comincia a rifare la stanza. Suona il *campanello*. Pietro va a aprire. Entrano la madre e la sorella di Pietro.)

GINESTRA: Oh, mamma, guarda che bellissima casa!

MADRE DI PIETRO: Troppe *scale*. Io soffro di cuore, e le scale mi fanno male.

GINESTRA: Tu non soffri di cuore, mamma. L'ha detto il dottore.

MADRE DI PIETRO: L'hanno detto anche a Lamberto Genova, che non soffriva di cuore pochi giorni prima che morisse. Me l'ha detto la povera Virginia.

PIETRO: Perché la chiami povera Virginia? Non è mica morta anche lei?

MADRE DI PIETRO: Povera Virginia! Non è morta, ma è rimasta sola, e quasi senza soldi!

(Entra Giuliana.)

MADRE DI PIETRO: Buongiorno, signorina.

GINESTRA: Buongiorno.

GIULIANA: Buongiorno.

GINESTRA: Che bella casa che avete!

GIULIANA: Posso chiederle di non chiamarmi signorina, dato che ho sposato suo figlio una settimana fa.

MADRE DI PIETRO: Non vi siete sposati in chiesa. Per me vale solo il matrimonio in chiesa. Ad ogni modo, la chiamo signora, se vuole.

PIETRO: Non vorresti chiamarla per nome, mamma? Il suo nome è Giuliana.

MADRE DI PIETRO: Di dove è lei?

GIULIANA: Io sono di Pieve di Montesecco.

MADRE DI PIETRO: E dov'è questo Pieve di Montesecco?

GIULIANA: In Romagna.

MADRE DI PIETRO: Ah in Romagna? Anche Rossignano è in Romagna. Conosce Rossignano?

GIULIANA: No.

MADRE DI PIETRO: Non conosce Rossignano? È

strano. Non la portavano in *villeggiatura* a Rossignano, da bambina? Dove la portavano?

GIULIANA: Non mi portavano in villeggiatura.

MADRE DI PIETRO: Ah non la portavano?

GIULIANA: No. Mia madre non aveva denari. Mio padre, quando io ero piccola, è andato via di casa.

MADRE DI PIETRO: Anche io sono stata molto provata dalla vita. Ho perduto mio marito. E ora mio figlio ha voluto darmi questo grande *dolore*. Io non ho niente contro di lei, signorina, o signora o Giuliana, come vuole. Ma non credo che lei sia la moglie giusta per mio figlio. Sa perché mio figlio l'ha voluto?

GIULIANA: No?

MADRE DI PIETRO: Per darmi un dolore.

PIETRO: La nostra donna di servizio Vittoria, ieri è andata dal suo parrucchiere, e non è più ritornata.

MADRE DI PIETRO: Dovete guardare se non si è portata via qualche cosa.

GIULIANA: Vittoria? Oh no, Vittoria non toccava niente.

MADRE DI PIETRO: Da quanto l'avevate?

PIETRO: Quattro giorni.

MADRE DI PIETRO: Avevate preso informazioni, di questa Vittoria?

---

*villeggiatura,* luogo in campagna al mare o in montagna dove si
   va a passare il tempo libero.
*dolore,* quello che si prova quando si soffre.

PIETRO: Sì. Dalla signora Giacchetta.

(Entra Vittoria.)

GIULIANA: Oh Vittoria! Finalmente sei ritornata. Avevo paura che non ritornassi più!

VITTORIA: Ieri sera, quando sono uscita dal parrucchiere, pioveva forte. Allora sono salita su un momento dalla signora Giacchetta. M'ha pregato di fermarmi a dormire, perché era sola, e aveva paura. Il marito era andato a Rieti. Stamattina è tornato il marito, e aveva portato quattro polli. Lei li ha cucinati e me ne ha dati due. Meno male che non hanno ancora mangiato. Mi ha accompagnato la signora Giacchetta con la macchina, per fare prima. (Via)

MADRE DI PIETRO: Sta fuori tutta la notte, e voi non dite niente?

GIULIANA: Sono così contenta che è tornata!

MADRE DI PIETRO: Non le dite niente? Non viene a casa perché piove. Ma in che mondo viviamo?

(Vittoria torna con i polli.)

MADRE DI PIETRO: Le donne di servizio, da Virginia, non ci vogliono stare. Non so perché. Quest'anno ne ha cambiate sei. Adesso ha soltanto una ragazza di quindici anni, non ha potuto trovare altro.

GINESTRA: Dicono che gli dà da mangiare poco.

MADRE DI PIETRO: Sì, è vero, Virginia non ha mai tenuto molto al mangiare, nemmeno per sé. Dice che sono soldi buttati via. Così, quando è mancato il povero Lamberto, si trovava sola Virginia, sola in casa con quella bambina di quindici anni. Ha molto coraggio. Il povero Lamberto si è sentito male nella stanza da bagno. Lei con le sue braccia l'ha portato sul letto. È morto. La povera Virginia dovrà forse vendere la casa. Dice che vuole mettersi a lavorare. Ha molto coraggio. Io la vedo ogni giorno, le sto molto vicino, perché è sola. Passa le sere con quella ragazza, ma ora anche quella dice che vuole andarsene via.

PIETRO: Forse ha trovato un altro posto, dove spera di mangiare di più.

MADRE DI PIETRO: Sì, è possibile. Il povero Lamberto, qualche volta, me lo diceva che mangiavano poco a casa sua. La povera Virginia è già tanto *magra.*

PIETRO: È la donna più brutta che conosco.

MADRE DI PIETRO: Non è vero. Perché? Voi avete sempre bisogno di dir male di tutti. Non è brutta Virginia. Ha bellissimi capelli. E poi, veste bene. Ha moltissimo stile.

GIULIANA: Ha molto stile?

MADRE DI PIETRO: Moltissimo. E poi, si fa tutto da sé. Si fa dei *vestiti* a *maglia,* bellissimi. Ne ha fatto uno a Ginestra. Vero Ginestra?

---

*magro,* che pesa poco.
*vestito, maglia,* vedi illustrazione pag. 42.

GINESTRA: Però quello che ha fatto a me, la prima volta che l'ho lavato, è diventato lungo lungo. Non lo posso più portare.

MADRE DI PIETRO: Se lei vuole, Giuliana, figlia mia, dirò a Virginia di fare anche a lei un vestito.

GIULIANA: Penso che adesso abbia altro per la testa Virginia, che farmi un vestito.

MADRE DI PIETRO: No. Lo farà con grande piacere. Io vado a trovarla anche oggi, quando esco di qua. Lamberto Genova era un amico carissimo della nostra famiglia. Morire così! Dio ha voluto darmi anche questo grande dolore. Prima quel dolore che mi ha dato mio figlio sposandosi così, senza nemmeno avermi spiegato bene con chi si sposa! E non in chiesa. Allora il povero Lamberto è venuto a trovarmi, poche sere prima di morire. Mi ha detto: Stai molto vicina a Virginia, quando io non ci sarò più. Io gli ho detto: Lamberto mio, col mio cuore in questo stato, e tanti dolori, me ne andrò molto prima di te. Mi ha detto: Stai attenta al tuo cuore. È un cuore che ha sofferto. Non

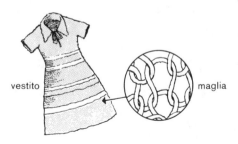

vestito         maglia

bisogna darsi pena per i figli. I figli vanno per la loro strada. Io gli ho detto: Lamberto mio, ma fare un matrimonio così. Non ho niente contro di lei, signorina. Deve capirmi, sono madre, un giorno sarà madre anche lei. Mi hanno detto che vi siete incontrati a una festa. E a questa festa lei si è sentita poco bene, vero?

GIULIANA: Avevo bevuto troppo.

MADRE DI PIETRO: Vino?

GIULIANA: Vino rosso.

MADRE DI PIETRO: Si vede che era vino *cattivo*. La gente ora dà le feste col vino cattivo. Un'altra volta, quando va a qualche festa, non beva. Beva solo acqua. Le conosceva bene quelle persone?

GIULIANA: No. Io non conoscevo nessuno. Sono capitata là per caso, con un fotografo, che era amico della mia amica Topazia.

MADRE DI PIETRO: Li conoscevi bene, tu, Pietro?

PIETRO: Non li conoscevo per niente. Anch'io ci sono capitato per caso.

MADRE DI PIETRO: Hai bevuto anche tu?

PIETRO: Ho bevuto un poco.

MADRE DI PIETRO: Perché bevi nelle case che non conosci? Chi è questa sua amica Topazia?

GIULIANA: È una mia cara amica, Topazia, l'amica più cara che ho. È ottimista. Io sto bene con gli ottimisti.

---

*cattivo,* non buono.

43

MADRE DI PIETRO: E mio figlio? le sembra forse un ottimista, mio figlio?

GIULIANA: Credo di sì. Se no forse non l'avrei sposato.

MADRE DI PIETRO: Lo crede ottimista? Sbaglia. Perché non ha *riflettuto,* prima di sposarsi, figlia mia? Non è *credente,* vero, signorina? Me lo immaginavo. Non è credente. Se fosse stata credente, avrebbe chiesto a Dio che la aiutasse, e non avrebbe sposato mio figlio. Eppure più la guardo, e più mi sembra d'averla già vista? dove? Questa amica Patrizia, o come ha detto che si chiama? chi è?

GIULIANA: Non Patrizia. Topazia.

GINESTRA: Non sarà Topazia Valcipriana?

MADRE DI PIETRO: Chi, Valcipriana? Ah, la ragazza Valcipriana, è vero, si chiama Topazia. Quella che ha sposato quel Pierfederici?

PIETRO: Portami via Gesù!

MADRE DI PIETRO: Sì, si chiama così uno dei suoi libri. Ma non parla niente di Gesù. È pieno di parole sporche. Questo Pierfederici era molto bello. Soprattutto, aveva molto stile. Lei, la ragazza Valcipriana, non è brutta, ma non ha stile.

GIULIANA: Trova che non ha stile?

MADRE DI PIETRO: Neanche un po'. Allora questo Pierfederici ha sposato la Valcipriana e l'ha lasciata

---

*riflettere,* pensare attentamente.
*credente,* che crede in Dio.

44

subito, dopo quattordici giorni di matrimonio. E questa ragazza anche lei è finita male. Non vuole più stare con i suoi. Viaggia. È piena di uomini. Pare che non possa avere bambini. È sua amica?

GIULIANA: Sì.

MADRE DI PIETRO: Ah, ma ecco lei dove l'ho vista! L'ho vista al caffè Aragno, con la Valcipriana. Con questa Topazia. La Valcipriana aveva dei calzoncini bianchi tutti sporchi, e pareva un ragazzo di strada. Lei aveva un vestito rosso. L'ha ancora, quel vestito rosso?

GIULIANA: Sì.

MADRE DI PIETRO: Non lo metta più, lo dia a Vittoria. È un vestito che non le sta bene. Ieri, al funerale del povero Lamberto, Pietro aveva in testa un orrendo cappello. Glielo faccia buttare via quel cappello.

PIETRO: Mai! È un cappello molto buono.

MADRE DI PIETRO: Allora domando a Virginia di farle un vestito. Vado ora da lei, così comincia subito. Di che colore lo vuole, il vestito?

GIULIANA: Forse verde?

MADRE DI PIETRO: Verde? verde chiaro? Ho paura che non le stia bene. Meglio verde-acqua. Andiamo Ginestra. (Si mette il cappello.)

PIETRO: Che bel cappello!

GINESTRA: La mamma, appena ha saputo che ti sposavi, è corsa subito a comprarsi quel cappello.

45

MADRE DI PIETRO: Sì. Perché credevo che vi sareste sposati in chiesa. Non potevo mica immaginare che avreste fatto le cose in quel modo. Per darmi un dolore. Andiamo, Ginestra.

GINESTRA: Arrivederci. Grazie.

PIETRO: Arrivederci.

GIULIANA: Arrivederci.

MADRE DI PIETRO: Arrivederci.

(Madre di Pietro e Ginestra via.

Giuliana e Pietro soli.)

GIULIANA: Ho paura che avrò quel vestito della povera Virginia. Questa tua madre è un poco *svaporata*. Non me l'avevi detto che era un poco svaporata. Come è diversa tua madre dalla mia! Abbiamo delle madri così diverse. Con delle madri così diverse, e tutto così diverso, potremo vivere insieme?

PIETRO: Non so. Staremo a vedere.

GIULIANA: Tua madre non pensa che ti ho sposato per i soldi. Non pensa niente, tua madre. È troppo svaporata per pensare.

PIETRO: Già.

GIULIANA: In fondo non le importa nemmeno molto di sapere bene da dove sono arrivata io.

PIETRO: Sì. È così.

GIULIANA: Ma perché le madri sono tanto impor-

---

*svaporato,* si può dire di persona che parla senza pensare.

tanti? Com'è strano! Queste madri che se ne stanno là, in fondo alla nostra vita, così importanti per noi! Quella tua madre così svaporata, eppure così importante. In fondo ci conosciamo così poco. Dovremmo cercare di capire bene come siamo. Se no, che matrimonio è?

PIETRO: Ah, adesso non cominciamo di nuovo a parlare del nostro matrimonio! Ci siamo sposati e basta. Dov'è il mio cappello?

GIULIANA: Hai un funerale?

PIETRO: No. E non piove. Ma voglio il mio cappello. Ho deciso di andare in giro sempre col cappello.

GIULIANA: Forse perché tua madre ha detto che quel cappello non lo può soffrire?

PIETRO: Forse.

GIULIANA: Vedi come sono importanti le madri?

PIETRO: Andremo a vedere anche tua madre.

GIULIANA: Però a un certo punto è anche giusto mandarle un poco al *diavolo,* no? Volergli bene

diavolo

magari, però mandarle un poco al diavolo. È vero?

PIETRO: Certo.

GIULIANA: Sai cosa penso?

PIETRO: Cosa?

GIULIANA: Penso che forse io questo Lamberto Genova non l'ho proprio mai conosciuto.

## Domande

1. Perché non è tornata Vittoria?

2. Perché la madre non accetta il matrimonio di Pietro?

3. Esiste un solo Lamberto Genova?

4. Che cosa hanno in comune la madre di Pietro e Lamberto Genova?

5. Perché la madre di Pietro considera Virginia una donna di coraggio?

6. Come sono Topazia e Manolo secondo la madre di Pietro?

7. La madre come tenta di costringere Giuliana e Pietro a seguire la sua volontà?

8. Come cercano Giuliana e Pietro di difendere la loro libertà?

9. In che modo il cappello è importante per Pietro?